Pitou

Pouf

Youpi

«Comment? Vous ne connaissez pas Paris?»
Cette exclamation si souvent entendue par Caroline et ses amis a fini par les vexer.
Alors cet été, ils ont décidé de visiter la capitale de la France!

Pierre Probst

Caroline
à Paris

Les albums Hachette

PARIS
Panorama

Chers parents,

Nous voilà arrivés à Paris ! Les gens de l'hôtel sont très gentils, mais ils paraissent surpris en voyant mes petits amis ! De notre fenêtre, on découvre Paris, ses maisons, Notre-Dame, et la Tour Eiffel. Nous irons la visiter aujourd'hui. À demain, je vous embrasse très fort.

Votre Caroline.

Chers parents,

Nous étions contents de prendre le métro, mais quelle aventure ! D'abord, Pouf et Noiraud ont eu du mal à composter leurs tickets. Ensuite, Youpi et Bobi ont dérapé sur un escalier mécanique. Puis nous nous sommes perdus dans les couloirs ! Enfin, la plus belle : nous voulions voir la Tour Eiffel, et nous nous sommes retrouvés à Montmartre ! Je vous embrasse très fort.

Caroline.

Mo
à C
28.
C

PARIS - La Place du Tertre
et le Sacré-Cœur

Chers parents,

Nous sommes montés en funiculaire au Sacré-Cœur, puis nous nous sommes promenés dans les rues de Montmartre. Que c'est joli! Place du Tertre, il y a beaucoup d'artistes, et encore plus de touristes. Nous avons voulu imiter les peintres. Noiraud a raté son dessin à cause d'un petit chien, Pouf a utilisé trop de bleu, et Youpi a décoré un monsieur! Mais en vacances, quelle importance!

Tendrement,

Votre Caroline.

Mor

à C

2819

Co

PARIS. —
Le Jardin des Tuileries
et l'Arc de Triomphe
du Carrousel

Chers parents,

Cet après-midi, nous sommes entrés dans le jardin des Tuileries en arrivant de la place de la Concorde. Comme terrain de jeux, il n'y a pas mieux! On peut y faire des parties de cache-cache, des tours de manège et de balançoire, et voir Guignol! C'est merveilleux! Nous avons acheté des gaufres et des barbes à papa, puis mes petits amis ont sauté dans un bassin. C'est interdit, mais le garde n'a rien dit.

Je vous embrasse, Caroline.

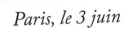

Paris, le 3 juin

Chers parents,

Hier, nous sommes allés au musée du Louvre où se trouve
la célèbre Joconde. Les touristes viennent du monde entier pour
l'admirer. Mais quand on n'est pas grand, ce n'est pas facile
de l'apercevoir ! Mes amis n'ont pas été très sages. Un monsieur
a même dit : "On aura tout vu !" Nous, nous n'avons pas tout vu,
il faudrait des jours et des jours pour visiter tout le musée !

Aujourd'hui, nous nous sommes promenés sur les quais de
la Seine, admirant les étalages des bouquinistes. Pouf a acheté
un livre, Kid a cherché des gravures. Un bouquiniste m'a confié
la garde de son étalage, j'étais drôlement contente !

Je vous embrasse de tout mon cœur,

Caroline.

TÉLÉGRAMME

B- AUC 961 9 27 06 1447

Catastrophe stop Pitou envolé en
ballons stop disparu stop faisons
recherches stop   Caroline

- **PARIS** -
Centre National d'Art et de Culture
Georges Pompidou

Chers parents,

À Beaubourg, nous avons chanté :
"Il y a de quoi être stupéfait
en découvrant ce superbe palais
de verre, de tuyaux, de boulons,
au milieu des vieilles maisons !
Si grand-père voyait ça,
il n'en reviendrait pas.
Pitou, où es-tu ? Pitou, que fais-tu ?
Braves gens, si vous le retrouvez,
vous serez récompensés !"
Nous avons eu un succès fou,
mais personne n'a vu Pitou.

Je vous embrasse très fort, Caroline.

Monsi
à Cha
28190
Cou

tous les jours
à
Beaubourg
KID
le briseur de chaînes
et le
groupe Caroline

aidez-nous à retrouver
Pitou
disparu en ballons
au-dessus de Paris
merci

PARIS vu des Tours de Notre-Dame
La Tour St-Jacques et au fond :
le Sacré-Cœur

Chers parents,

*Sur les tours de Notre-Dame,
Boum était le plus essoufflé, et
Bobi avait le vertige. Pouf a fait
plein de grimaces pour ressembler
aux gargouilles ! Tout à coup, nous
avons vu Pitou passer au-dessus
de nous. Nous avons crié : "Pitou,
attention, tu n'as plus que quatre
ballons ! Redescends vite, on
t'attend !"*

Tendrement, votre Caroline.

Monsi

à Ch

2819

Co

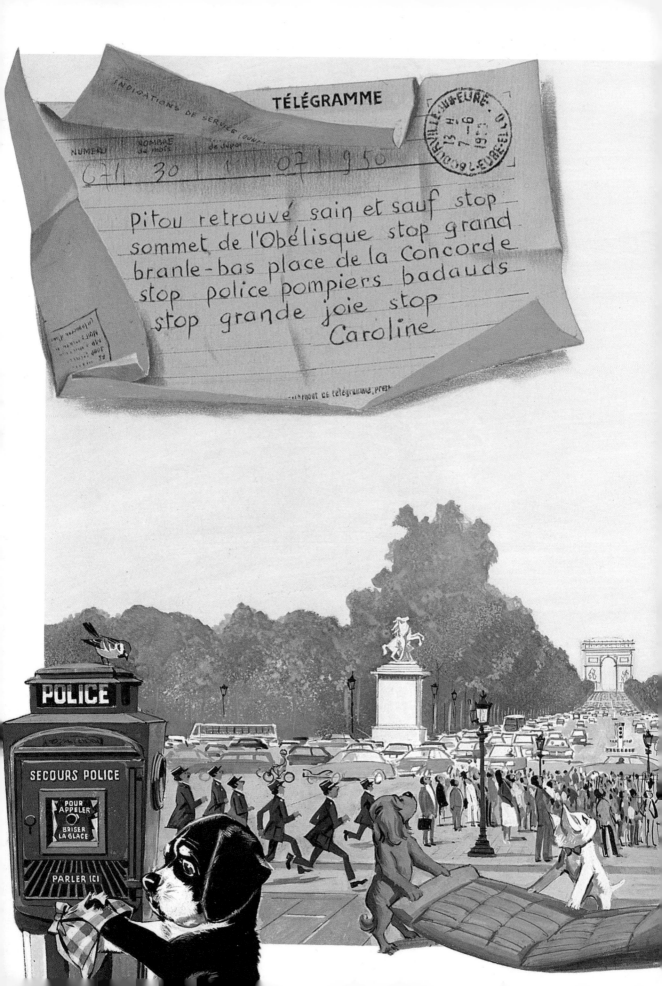

PARIS - Les quais de la Seine
la Cité et le Pont-Neuf

Chers parents,

Quelle joie d'avoir retrouvé
Pitou! Aujourd'hui, pour aller sur
l'île de la Cité, nous avons traversé
le Pont-Neuf. Youpi n'a pas voulu
croire que c'était le plus vieux pont
de Paris! Tandis que nous jouons aux
boules, Kid et Noiraud pêchent et
regardent passer les bateaux-mouches.
Demain soir, nous irons à l'Opéra.
Mes amis sont ravis, mais regrettent
que les vacances soient presque finies.
À très bientôt!

Tendrement, votre Caroline.

Mor
à C
281
C

Bob

Boum

Noiraud

Pipo

Kid